Das fliegende Klassenzimmer

Ein Leseprojekt
zu dem
gleichnamigen
Roman für Kinder
von Erich Kästner

erarbeitet
von
Cornelia Witzmann

Illustrationen
von
Egbert Herfurth

Cornelsen

Inhaltsverzeichnis

Kapitel 1

1 **Z**weihundert Stühle wurden gerückt. Zweihundert
2 Schüler standen lärmend auf. Das Mittagessen
3 im Kirchberger Internat war zu Ende. Die Schüler
4 drängten zur Tür hinaus.
5 „Teufel, Teufel!", sagte Matz zu seinem Freund Uli.
6 „Hab ich noch Hunger! Ich brauche dringend
7 zwanzig Pfennig für eine Tüte Kuchenreste.
8 Hast du Geld?"

9 Uli, ein kleiner blonder Junge, holte sein Portmonee

10 aus der Tasche. Er gab seinem Freund

11 zwanzig Pfennig. „Da, Matz. Lass dich aber nicht

12 erwischen. Der schöne Theo hat Aufsicht. Wenn

13 der dich abhauen sieht, bist du geliefert!"

14 „Lass mich mit deinen albernen Zwölftklässlern

15 zufrieden, du Angströhre", sagte Matz. Er steckte

16 das Geld ein.

17 „Und, Matz, vergiss nicht, um zwei in die Turnhalle

18 zu kommen! Wir haben heute Probe", sagte Uli

19 noch.

20 „Alles klar", rief Matz und lief zum Bäcker

21 auf der anderen Straßenseite.

22 Draußen schneite es. In vier Tagen würden

23 die Ferien beginnen. Man konnte Weihnachten

24 fast schon riechen.

25 Vor der Turnhalle des Internats standen

26 drei Jungen.

27 Sie wollten in der Halle ihr Theaterstück

28 für die Weihnachtsfeier proben. Sie sollte

29 am letzten Schultag vor den Ferien stattfinden.

30 Johnny, einer der Jungen, hatte das Stück

31 geschrieben. Es war ein lustiges Stück

32 über Schule und Unterricht. Die Schüler flogen

33 darin mit ihrem Lehrer in einem Flugzeug

34 zu fremden Orten.

₃₅ Neben Johnny standen Martin und Matz. Martin
₃₆ war der beste Schüler in der Klasse. Matz hieß
₃₇ richtig Matthias. Aber alle nannten ihn kurz Matz.
₃₈ Er hatte immer Hunger und wollte später einmal
₃₉ Boxer werden.
₄₀ Nach einer Weile kam auch Uli endlich angelaufen.
₄₁ Er war der Kleinste der Klasse.
₄₂ Matz hielt Uli die Tüte mit den Kuchenresten hin.
₄₃ „Da!", brummte er. „Iss auch was, damit du groß
₄₄ und stark wirst."
₄₅ Während Uli in die Tüte griff, guckte Johnny
₄₆ neugierig durch das Fenster in die Turnhalle.
₄₇ „Die Zwölftklässler sind wieder in der Halle."
₄₈ „Na, dann müssen wir die eben vertreiben!",
₄₉ rief Matz. „Los, kommt!"
₅₀ Die vier Jungen öffneten die Tür zur Turnhalle.
₅₁ Der schöne Theo spielte Klavier. Die anderen
₅₂ Zwölftklässler tanzten zur Musik.
₅₃ Die vier forderten die Großen auf zu gehen.
₅₄ Doch der schöne Theo sagte bloß: „Wartet
₅₅ gefälligst, bis wir fertig sind!"
₅₆ „Aber wir dürfen hier jeden Tag von zwei bis drei
₅₇ proben!", rief Martin.
₅₈ Der schöne Theo spielte einfach weiter.
₅₉ Da wurde Martin wütend. „Ihr müsst euch genau
₆₀ wie wir an die Regeln halten!", rief er zornig.
₆₁ „Auch wenn ihr schon älter seid!"

62 Mit diesen Worten schlug er den Klavierdeckel zu,
63 der dem schönen Theo auf die Finger krachte.
64 Theo verzog vor Schmerz das Gesicht.
65 Kurz darauf verließen die Zwölftklässler
66 schimpfend die Turnhalle.
67 Nun begannen die vier Jungen mit der Theater-
68 probe. Sie übten den letzten Teil des Stücks.
69 Nach einer Weile wurde die Tür der Turnhalle
70 aufgerissen. Fridolin stürzte in die Halle. „Rudi
71 Kreuzkamm wurde überfallen!", rief er aufgeregt.
72 „Er sollte seinem Vater die Diktathefte nach Hause
73 tragen! Aber die Realschüler haben ihn gefangen
74 genommen."
75 Die Jungen sahen sich einen Moment lang
76 sprachlos an.
77 Dann rief Martin: „Los, kommt mit
78 zum Nichtraucher! Dort können wir in Ruhe reden."

Fortsetzung folgt

1. Im Kapitel hast du Schüler eines Internats
   nur für Jungen kennen gelernt.
   Was ist ein Internat?
   Lies den folgenden Sachtext.

> ### Im Internat
>
> 1 Ein Internat ist **eine Schule**
> 2 **mit einem Wohnheim,** in dem die Schüler
> 3 Zimmer mit Betten, Schränken und Tischen
> 4 haben. Die Schüler gehen im Internat
> 5 nämlich nicht nur zur Schule, sie **wohnen,**
> 6 **schlafen, essen und spielen** dort auch.
> 7 Nur an den Wochenenden oder in den Ferien
> 8 fahren sie zu ihren Eltern nach Hause.

2. Wo schlafen die Schüler im Internat?
   Beantworte die Frage mit eigenen Worten.
   Schreibe in dein Heft.

3. Was tun die Schüler in einem Internat
   außer lernen noch?
   Schreibe mindestens drei passende Verben
   (Tuwörter) auf die Linien.

   _____
   _____

7

4. Was hast du über die Jungen im Internat erfahren?
Kreuze an.

a) Was hat Matz?

❏ nie Hunger   ❏ immer Hunger

b) Wer ist Uli?

❏ der Kleinste   ❏ der Größte

c) Was hat Johnny geschrieben?

❏ ein Kinderbuch   ❏ ein Theaterstück

d) Wer ist Martin?

❏ der schlechteste Schüler in der Klasse
❏ der beste Schüler in der Klasse

e) Welches Instrument spielt der schöne Theo?

❏ Schlagzeug   ❏ Klavier

f) Wovon erzählt Fridolin?

❏ von einer Feier   ❏ von einem Überfall

5. Vor der Turnhalle des Internats treffen sich vier Jungen.

Wie heißen die Jungen?

Ergänze die fehlenden Buchstaben.

M t z   J h   y   M r

U

9

6. Schüler eines Internats sehen ihre Eltern
   nur selten.
   Wie stellst du dir das Leben im Internat vor?
   Kreise die passenden Adjektive (Wiewörter) ein.

lustig   anstrengend   langweilig

traurig   spannend   einsam

aufregend   beängstigend

7. Was erleben Schüler eines Internats wohl?
   Stellt Vermutungen in der Klasse an.

8. Bevor es den Euro und den Cent gab,
   bezahlte man in Deutschland
   mit Mark und Pfennig.
   Wie viel Cent sind 20 Pfennig?
   Vervollständige den Satz.
   Tipp: 10 Pfennig sind etwa 5 Cent.

20 Pfennig sind etwa ☐ Cent.

Kapitel 2

1 „Nichtraucher" nannten die Jungen

2 einen Mann, dessen richtigen Namen sie

3 nicht kannten. Sie riefen ihn so,

4 weil er in einem Schrebergarten

5 in einem alten Eisenbahnwaggon wohnte,

6 und zwar in einem ehemaligen Wagen

7 für Nichtraucher.

8 Die Jungen besuchten den Nichtraucher oft.

9 Sie mochten ihn gern, fast so gern wie ihren Lehrer

10 Herrn Bökh, den sie heimlich Justus nannten.

11 Justus bedeutete nämlich „der Gerechte".

12 Martin, Johnny und Fridolin gingen zum Eingang
13 des Waggons. Martin klopfte und die drei wurden
14 hereingelassen.
15 Matz und Uli blieben vor dem Waggon stehen und
16 passten auf.
17 „Die Diktathefte sind wohl weg", sagte Matz.
18 „Die müssen wir unbedingt wiederkriegen!", rief Uli.
19 „Bloß nicht! Mein Diktat ist bestimmt nicht gut.
20 Schreibt man Pizza eigentlich mit ‚tz'?", fragte Matz.
21 „Nein", sagte Uli, „mit zz."
22 „Aha", sagte Matz, „das Wort habe ich also schon
23 mal falsch geschrieben. Und Picknick? Mit k?"
24 „Nein, mit ck."
25 „Und hinten?"
26 „Auch mit ck."
27 „Teufel, Teufel", fluchte Matz, „in zwei Wörtern
28 drei Fehler! Also, ich bin dafür, dass wir die Diebe
29 ausnahmsweise laufen lassen!"
30 Uli machte plötzlich ein trauriges Gesicht. „Ich bin
31 sowieso viel zu feige", klagte er. „Wenn es Ärger
32 gibt, renne ich als Erster fort. Ach, würden mir
33 die anderen doch nur mehr zutrauen."
34 „Na, dann tu doch mal etwas Mutiges!
35 Dann sehen sie, was in dir steckt", sagte Matz.
36 Uli nickte, senkte den Kopf und stieß
37 mit den Schuhen gegen eine Zaunlatte.
38 Matz formte einen Schneeball und warf ihn

39 mit aller Kraft nach dem Schornstein
40 des Nichtrauchers. Er traf genau.

41 Im Eisenbahnwaggon saßen die anderen
42 mit dem Nichtraucher zusammen. Fridolin erzählte
43 noch einmal, was nach Schulschluss geschehen
44 war.
45 „Die Realschüler haben Rudi Kreuzkamm
46 gefangen genommen. Und unsere Diktathefte
47 haben sie auch."
48 „Das ist eine Unverschämtheit!" Johnny sprang
49 wütend von seinem Stuhl auf.
50 „Das lassen wir uns nicht gefallen!", sagte Martin
51 bestimmt. „Ich habe einen Plan."
52 Er schlug vor, Fridolin zu Professor Kreuzkamm,
53 Rudis Vater, zu schicken. Er sollte
54 herausbekommen, ob Rudi und die Diktathefte
55 nicht doch noch zu Hause angekommen waren.
56 „Danach kommst du zu Egerland in die Försterei-
57 straße. Dort warten wir auf dich, Fridolin", erklärte
58 Martin. „Vielleicht können wir den Egerland
59 gefangen nehmen, wenn Rudi verschwunden bleibt.
60 Dann tauschen wir Egerland gegen Rudi ein!"
61 Egerland war nämlich der Anführer der Realschüler.
62 „Alles klar", sagte Fridolin. Er verließ den Waggon
63 und machte sich auf den Weg zum Haus
64 des Deutschlehrers.

65 „Warum haben die Realschüler Rudi denn

66 gefangen genommen?", fragte der Nichtraucher

67 und steckte sich eine Pfeife in den Mund.

68 „Ach, das ist eine lange Geschichte", begann

69 Johnny. „Die Realschüler und die Gymnasiasten

70 haben schon seit vielen Jahren Streit. Zuletzt

71 haben wir den Realschülern ihre Räuberfahne

72 abgejagt."

73 „Und deshalb klauen sie eure Diktathefte?", fragte

74 der Nichtraucher.

75 „Nicht ganz. Erst wollten wir die Fahne nicht

76 zurückgeben. Aber die Realschüler haben sich

77 über uns bei Justus beschwert. Das hat natürlich

78 Ärger gegeben. Der Justus hat uns angedroht,

79 dass wir ihn zwei Wochen lang nicht grüßen dürfen.

80 Also haben wir die Fahne zurückgegeben."

81 „Na, den Justus mögt ihr anscheinend sehr", sagte

82 der Nichtraucher lachend. „Aber warum sind

83 die Realschüler denn noch immer so wütend

84 auf euch?"

85 „Leider war die Fahne ein bisschen sehr

86 zerrissen ..."

87 „Na, dann befreit jetzt mal lieber euren Mitschüler.

88 Ich werde später in die Förstereistraße kommen,

89 um nach euch zu sehen", sagte der Nichtraucher.

90 Die Jungen verabschiedeten sich.

Fortsetzung folgt

1. Im Kapitel kommen diese schwierigen Nomen (Namenwörter) vor.

a) Lies die Nomen im Kasten.

der Eisenbahnwaggon / der Schrebergarten / das Picknick / der Schornstein

b) Was bedeuten die Nomen?
Sprich mit einem Partner darüber.
Tipp: Schlagt in einem Wörterbuch nach.

c) Vervollständige nun die Sätze.

Der _____ ist ein Kleingarten

am Stadtrand.

Der _____ ist

der Wagen eines Zuges.

Der _____ befindet sich

auf dem Dach eines Hauses. Durch ihn kann

der Rauch, der im Haus, zum Beispiel durch

ein Feuer im Ofen, entsteht, abziehen.

Das _____ ist ein Essen

im Freien, zum Beispiel auf einer Wiese.

2. Der Nichtraucher wohnt in einem Nichtraucher-
   waggon. Daher hat er auch seinen Spitznamen.
   Welches Schild für das Rauchverbot könnte
   in dem Waggon hängen?
   Zeichne das Schild.

3. Rauchen schadet der Gesundheit.
   Deshalb darf man auch nicht überall rauchen.
   An welchen Orten in eurer Umgebung
   ist Rauchen verboten?
   Sprecht in der Klasse darüber.

4. Warum ist Rauchen an vielen
   öffentlichen Orten verboten?
   Sprecht in der Klasse darüber.

5. Worüber ist Uli traurig?
   Vervollständige die Sprechblase.
   Tipp: Lies noch einmal Seite 12.

Ich bin sowieso _____.

Wenn es Ärger gibt, _____
_____
_____.

6. Matz gibt Uli den Rat, etwas Mutiges zu machen.
   Sprecht in der Klasse über Matz' Rat:
   – Findet ihr den Rat gut?
   – Welchen Rat würdet ihr Uli geben?

7. Was berichtet Fridolin dem Nichtraucher und den
   anderen im Eisenbahnwaggon?
   Vervollständige die Sprechblase.
   Tipp: Lies noch einmal Seite 13.

Die Realschüler haben Rudi Kreuzkamm
_____
_____.

Und unsere _____
_____

haben sie auch.

8. Welchen Plan hat Martin?
   Schreibe Martins Plan in dein Heft.
   Tipp 1: Lies noch einmal Seite 13.
   Tipp 2: Beginne die Sätze so:

   1. Fridolin soll herausbekommen, ob ...
   2. Egerland soll ...
   3. Danach kann Rudi gegen Egerland ...

9. Die Realschüler und die Gymnasiasten
   in Kirchberg haben immer wieder Streit.
   Kennt ihr Schüler oder Schülerinnen
   von anderen Schulen?
   Und wie versteht ihr euch mit ihnen?
   Sprecht in der Klasse darüber.

10. Im Kapitel kommen diese Wörter vor.

a) Ergänze jeweils die fehlenden Buchstaben.

b) Schreibe die Wörter vollständig in dein Heft.

   die Re lschüler, die Gymnas asten,

   der Wa   on, der Schn   ba   ,

   die Fa ne, die Dikta he te,

   seit ielen Ja ren, der Anfü rer

Kapitel 3

1 **A**ls die Jungen Richtung Stadt liefen, schneite es
2 immer noch. Vor dem Kino entdeckten die vier
3 ein paar jüngere Schüler, die sich einen Film
4 ansehen wollten.
5 Martin rief ihnen zu: „Wir brauchen eure Hilfe!
6 Die Realschüler haben den Rudi gefangen
7 genommen. Wir müssen ihn befreien. Kommt
8 in einer Viertelstunde in die Förstereistraße.
9 Und setzt alle eure Mützen auf, so wissen wir,
10 wer zu uns gehört. Aber passt auf, dass euch
11 die Realschüler nicht erwischen!"

12 „Eisern!", riefen die jüngeren Schüler.

13 Die Jungen rannten voraus in die Förstereistraße.

14 Kurz nach ihnen kam auch Fridolin angefegt.

15 „Rudi ist nicht zu Hause angekommen – und

16 die Diktathefte auch nicht." Fridolin war völlig

17 außer Atem.

18 „Es wird also ernst", sagte Matz fröhlich. „Da will

19 ich mal schnell rüber zur Hausnummer siebzehn

20 gehen und den Egerland so richtig ärgern."

21 „Hier bleibst du!", befahl Martin. „Erst einmal geht

22 Johnny zu Egerland. Er wird mit ihm verhandeln.

23 Dabei soll er herausfinden, wo Rudi und die Hefte

24 stecken!" Martin blickte Johnny an. „Alles klar?"

25 Johnny nickte.

26 „Ich komme ein Stück mit", sagte Martin und

27 die beiden zogen los.

28 „Der Martin ist ein Superkerl, was?", sagte Uli

29 zu Matz. „Wie er vorhin die Großen aus der Halle

30 rausgeworfen hat!"

31 „Ja, so einen wie Martin gibt es nicht noch einmal.

32 Er ist fleißig und trotzdem kein Streber. Er ist

33 Klassenbester und macht dennoch jeden Streich

34 mit."

35 Nachdem Martin zurück zu Uli und Matz gegangen

36 war, lief Johnny die Treppen zum Haus

37 Nummer siebzehn hinauf. Frau Egerland führte

38 ihn kurz darauf ins Zimmer ihres Sohnes.

39 Der sprang vor Staunen vom Stuhl, als er

40 Johnny erblickte. „Was soll das denn?

41 Ein Gymnasiast in meinem Zimmer?"

42 Egerland zog eine Augenbraue hoch.

43 „Ich komme, um zu verhandeln. Wir wollen

44 den Rudi und die Diktathefte", forderte Johnny.

45 „Was bietet ihr denn dafür?"

46 „Nichts! Wenn ihr Rudi nicht laufen lasst, werden

47 wir ihn uns holen!"

48 Egerland lachte. „Ihr wisst ja nicht mal, wo er ist.

49 Wir lassen Rudi nur frei, wenn ihr uns

50 einen Entschuldigungsbrief wegen

51 der zerrissenen Fahne schreibt. Außerdem müsst

52 ihr uns freundlich bitten, euch den Gefangenen

53 und die Diktathefte zurückzugeben!"

54 „Das machen wir auf keinen Fall! Wir werden Rudi

55 auch so freibekommen", sagte Johnny

56 verärgert.

57 „Bitte schön, holt ihn euch!" Mit diesen Worten

58 hängte Egerland die schwarze Fahne zum Fenster

59 hinaus und rief laut: „Ahoi!" [sprich: Aheu] Das war

60 der Erkennungsruf der Realschüler.

61 Als Johnny ging, fragte Egerlands Mutter ihn:

62 „Kommen noch mehr von euch?

63 Andauernd klingelt es! Vorhin haben sich

64 zwei Jungen sogar den Kellerschlüssel geliehen!"

„Haben Sie den Schlüssel denn schon
wiederbekommen?", fragte Johnny.
„Nein", antwortete Frau Egerland. „Die Jungen
werden es wohl vergessen haben. Da werde ich
meinen Sohn bitten müssen, den Schlüssel
wiederzuholen."
Johnny verabschiedete sich und lief zu den anderen
auf die Straße zurück. „Ich glaube, Rudi ist in
Egerlands Keller eingesperrt", sagte Johnny. „Aber
befreien können wir ihn nicht einfach. Egerland hat
seine Leute im Hof zusammengerufen."
„Ach, mit denen werden wir schon fertig.
Und dann stürmen wir den Keller!", rief Martin.
„Moment mal", sagte jemand hinter ihnen. Es war
der Nichtraucher. „So einfach wird das nicht.
Der junge Egerland hat fast dreißig Realschüler
zusammengerufen. Ein Kampf mit denen hier
in der Straße macht einen Riesenkrach. Trefft euch
besser drüben auf dem Bauplatz mit ihnen
und dann veranstaltet eine Schneeballschlacht.
Wozu sollen sich alle schlagen?"
„Gute Idee!", rief Martin. „Johnny, hol du
die Realschüler zum Bauplatz. Wir laufen schon
mal vor und machen einen Berg Schneebälle!"
„Eisern!", rief Johnny.
„Eisern!" war der Erkennungsruf der Gymnasiasten.

Fortsetzung folgt

1. Martin und seine Freunde wollen
   Rudi Kreuzkamm helfen. Was geschieht?
   Sind die Sätze richtig oder falsch?
   Kreuze an.

	richtig	falsch
Martin bittet jüngere Schüler um Hilfe.	☐	☐
Matz geht zu Egerland, um zu verhandeln.	☐	☐
Herr Egerland führt Johnny zu seinem Sohn.	☐	☐
Johnny und Egerland werden sich nicht einig.	☐	☐
Egerland ruft fast fünfzig Realschüler zusammen.	☐	☐

2. Matz findet, dass Martin kein Streber ist.
   Wie verhält sich ein Streber?
   Sprecht in der Klasse darüber.

3. Die Gymnasiasten reden den Anführer
der Realschüler nicht mit dem Vornamen,
sondern mit dem Nachnamen an.

a) Wie reden sie ihn an?
Schreibe den Namen des Anführers
auf die Linie.

_____

b) Klingt diese Anrede eher freundlich
oder eher unfreundlich?
Sprecht in der Klasse darüber.

4. Die Gymnasiasten und die Realschüler haben
jeweils einen Erkennungsruf.

a) Die Realschüler rufen einen Seemannsgruß.
Wie heißt er?
Kreuze an.

❏ Hallo!   ❏ Aha!   ❏ Ahoi!   ❏ Abo!

b) Was rufen die Gymnasiasten?

❏ Golden!   ❏ Silbern!   ❏ Gläsern!   ❏ Eisern!

5. Warum haben die Gymnasiasten wohl
   ihren Erkennungsruf gewählt?
   Was bedeutet „Eisern!"?

a) Schlage zunächst in einem Wörterbuch nach.

b) Sprecht nun in der Klasse darüber.

6. In welcher Straße wohnt die Familie Egerland?
   Schreibe den Straßennamen
   auf das Straßenschild.
   Tipp: Lies noch einmal Seite 20.

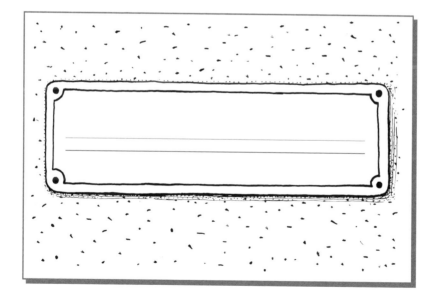

7. Johnny hat eine Vermutung, wo Rudi gefangen gehalten wird.
Was vermutet er?

a) Sprich mit einem Partner oder einer Partnerin darüber.
Tipp: Wenn ihr nicht weiterwisst,
lest noch einmal ab Seite 21, Zeile 61.

b) Ergänze nun die folgenden Sätze.

Johnny spricht mit Egerlands Mutter.

Dabei erfährt er, dass _____

_____

_____

_____

Deshalb vermutet Johnny, dass _____

_____

_____

8. Einen anderen Menschen gefangen zu halten ist verboten und kann bestraft werden.
Wie fühlt sich ein Mensch in Gefangenschaft wohl?
Sprecht in der Klasse darüber.

Kapitel 4

1 **A**uf der einen Seite des Bauplatzes standen
2 die Gymnasiasten, auf der anderen
3 die Realschüler. „Lasst uns einen Zweikampf
4 machen!", rief Egerland.
5 Die Gymnasiasten besprachen sich kurz.
6 „Also gut, wenn ihr wollt!", antwortete Martin.
7 Die Realschüler stellten Wawerka zum Zweikampf

8 auf, die Gymnasiasten Matz. Die beiden Jungen
9 gingen in die Mitte des Bauplatzes. Die Anführer
10 verabredeten, dass der Sieger sich etwas
11 wünschen darf.
12 „Ahoi!", riefen die Realschüler.
13 „Eisern!", brüllten die Gymnasiasten.
14 Danach war es völlig still.
15 Plötzlich bückte sich Wawerka und zog Matz
16 die Füße vom Boden. Matz fiel hin.
17 Wawerka stürzte sich auf ihn und prügelte los.
18 Die Realschüler freuten sich. Die Gymnasiasten
19 erschraken. Doch da verdrehte Matz Wawerka
20 den Arm. Wawerka schrie auf. Matz drückte
21 Wawerkas Gesicht in den Schnee. Als Matz ihn
22 wieder losließ, flüchtete Wawerka
23 zu seinen Mitschülern.
24 Matz wurde von seiner Gruppe mit Jubel
25 empfangen. Er hatte den Zweikampf gewonnen!
26 Matz wünschte sich, dass die Realschüler Rudi
27 und die Diktathefte herausgeben.
28 Aber die Realschüler wollten Rudi nicht
29 freilassen.
30 Martin überlegte kurz. Er rief Egerland zu:
31 „Sag deinen Leuten, dass wir in zwei Minuten
32 eine Schneeballschlacht beginnen. Das wird
33 der letzte Kampf zwischen uns sein.
34 Mit Wortbrechern kämpfen wir nicht mehr."

35 Danach versammelte Martin die Gymnasiasten
36 um sich. „In zwei Minuten beginnt ihr, Schneebälle
37 zu werfen", sagte er zu ihnen. „Euer Anführer ist
38 Johnny. Matz und ich machen in der Zwischenzeit
39 einen Ausflug in Egerlands Keller und befreien
40 Rudi. Ihr dürft die Schneeballschlacht aber nicht
41 gewinnen, bevor wir zurück sind. Ihr müsst
42 die Realschüler ablenken!"

43 Martin und Matz schlichen zurück zu Egerlands
44 Haus und gingen leise in den Keller.
45 Auf einmal sahen sie Licht und hörten
46 eine Stimme.
47 „Na, dann wollen wir mal", sagte ein Junge.
48 Und dann klatschte es zweimal laut.
49 „Schämt ihr euch nicht?", hörten sie Rudi fragen.
50 Martin und Matz schlichen auf die
51 offen stehende Tür zu und guckten vorsichtig
52 hindurch.
53 Auf einem Stuhl saß Rudi. Er war gefesselt und
54 hatte knallrote Wangen. Zwei Jungen standen
55 vor ihm. Als sie ihn wieder ohrfeigen wollten, war
56 auch schon Matz da und verprügelte die beiden.
57 Bald darauf saßen die beiden Realschüler
58 heulend in der Ecke.
59 „Na endlich! Ich sitz schon seit
60 zweieinhalb Stunden hier", sagte Rudi.

61 Seine Wangen leuchteten rot.

62 „Wo sind die Diktathefte?", fragte Martin.

63 Rudi zeigte auf einen Haufen Asche.

64 „Heiliger Bimbam", rief Matz, „da wird sich

65 dein Herr Papa aber freuen!"

66 Martin nahm ein Taschentuch und fegte die Asche

67 hinein. Er verknotete das Tuch und steckte es

68 in die Hosentasche.

69 Kurz darauf flitzten die drei Jungen zum Bauplatz

70 zurück und gaben Johnny ein Zeichen.

71 Jetzt bewarfen die Gymnasiasten die Realschüler

72 mit so vielen Schneebällen, dass diese aufgaben

73 und davonliefen. Die Gymnasiasten jubelten.

74 Nur Uli saß ängstlich hinter einem Holzstapel.

Fortsetzung folgt

1. Die Gymnasiasten und die Realschüler veranstalten einen Zweikampf.
Wen stellen sie für den Kampf auf?
Streiche die falschen Namen durch.

Martin   Matz   Egerland   Wawerka

2. Was geschah der Reihe nach?

a) Nummeriere die Sätze in der richtigen Reihenfolge.

| 3 | Als Sieger durfte er sich etwas wünschen. |

☐ Matz kämpfte gegen Wawerka.

☐ Matz wünschte sich,
dass Rudi freigelassen wird.

☐ Er gewann den Kampf.

☐ Zum Glück hatte Martin einen Plan.

☐ Die Realschüler wollten Rudi aber nicht
freilassen.

b) Schreibe die Sätze in der richtigen Reihenfolge in dein Heft.

3. Welchen Plan hat Martin?
Ergänze die Sätze.

Die Gymnasiasten sollen die Realschüler

durch eine _____ ablenken.

Kuchenschlacht / Schneeballschlacht

In der Zwischenzeit wollen Martin und Matz

Rudi _____ .

besuchen / befreien

4. Die Realschüler halten Rudi im Keller
gefangen und ohrfeigen ihn.
Rudi kann sich nicht wehren.
Wie findest du das Verhalten der Realschüler?
Kreuze an.

❑ feige ❑ cool ❑ gemein
❑ mutig ❑ böse ❑ ungerecht

5. Stell dir vor, du siehst, wie jemand geschlagen
wird.
Wie könntest du ihm helfen, ohne dich selbst
in Gefahr zu bringen?
Sprecht in der Klasse darüber.

6. Martin, Johnny, Matz und Uli sind verschieden.
Wie sind sie?
Verbinde die passenden Satzpaare.

Martin weiß meist, was zu tun ist.	Er ist sehr stark.
Matz besiegt alle.	Er ist sehr klug.
Uli traut sich nichts zu.	Er ist sehr mutig.
Johnny kämpft in der ersten Reihe.	Er ist sehr ängstlich.

7. Im Kapitel kommen das Nomen „der Jubel"
und die Verbform „sie jubelten" vor.
Was macht man, wenn man jubelt?
Macht es in der Klasse vor.

Kapitel 5

1 Johnny, Martin, Matz und Uli brachten
2 Rudi Kreuzkamm nach Hause. Er wohnte nicht
3 im Internat, sondern bei seinen Eltern.
4 Danach rannten die vier schnell den Berg
5 zum Internat hinauf. Oben angekommen, blieben
6 sie erschrocken stehen. Vor dem Eingang stand

7 der schöne Theo. Er hatte nämlich an diesem Abend
8 die Aufsicht an der Tür. „So spät noch unterwegs?",
9 fragte er schadenfroh. „Na, dann kommt mal mit,
10 ihr Früchtchen! Herr Bökh erwartet euch schon
11 sehnsüchtig."
12 Kurz darauf standen die Jungen vor ihrem Lehrer.

13 Sie sahen beinahe gefährlich aus: Matz hatte
14 ein blaues Auge, Johnny eine zerrissene Hose,
15 Martins Nase war rotgefroren. Nur Uli hatte nicht
16 einmal eine Schramme.
17 „Was steht in der Schulordnung, Uli?", fragte
18 Herr Bökh.
19 „Den Schülern des Internats ist es verboten,
20 das Schulgelände außerhalb der Ausgehzeiten
21 zu verlassen", antwortete er mit gesenktem Blick.
22 Aufgeregt rief Martin: „Die anderen sind unschuldig!
23 Ich habe ihnen befohlen, mir zu folgen.
24 Die Realschüler hatten den Rudi gefangen
25 genommen. Da mussten wir ihn doch befreien!"
26 „Und habt ihr ihn befreit?", fragte der Lehrer.
27 „Jawohl!", riefen drei Jungs.
28 Uli sagte nichts.
29 „Wurde irgendjemand verletzt?"
30 „Nein", sagte Johnny. „Es geht allen gut!"
31 „Nur die Diktathefte ...", begann Matz.
32 „Was ist mit den Heften?", fragte Herr Bökh.
33 „Die Realschüler haben sie vor Rudis Augen
34 verbrannt", sagte Matz fröhlich.
35 Herr Bökh guckte streng. „Nun, darum wird sich
36 euer Deutschlehrer, Professor Kreuzkamm,
37 kümmern." Er schwieg für einen Moment. „Ich
38 muss sagen", fuhr er fort, „mir gefällt euer Einsatz
39 für einen Freund."

40 Die vier Jungen freuten sich über das Lob.

41 Der schöne Theo stand an der Tür und versuchte

42 zu lächeln. Er schaffte es nicht.

43 „Gegen die Schulordnung habt ihr aber dennoch

44 verstoßen. Ihr werdet deshalb

45 an einem Nachmittag nach den Ferien

46 in der Schule bleiben und lernen."

47 Plötzlich machte Herr Bökh

48 ein trauriges Gesicht. „Ich finde es allerdings

49 sehr schade, dass ihr so wenig Vertrauen zu mir

50 habt. Ihr hättet mich doch um Hilfe bitten können."

51 „Aber Herr Bökh", rief Johnny, „haben Sie früher

52 niemals gegen eine Regel verstoßen?"

53 Herr Bökh sah die Jungen an. „Doch! Das war

54 sogar hier auf dieser Schule in Kirchberg.

55 Ich habe das Internat als Schüler auch einmal

56 ohne Erlaubnis verlassen. Ich wollte meine Mutter

57 im Krankenhaus besuchen. Danach erteilte mir

58 ein Lehrer Nachsitzen für den nächsten Tag.

59 Aber mein bester Freund hat für mich die Strafe

60 abgesessen und ich konnte wieder

61 zu meiner Mutter."

62 „Das war aber ein guter Freund!", rief Matz.

63 „Ja! Ich wünschte, ich wüsste, wo er heute ist."

64 „Wissen Sie das denn nicht?", fragte Martin.

65 „Nein. Er hat geheiratet und seine Frau bekam

66 ein Kind. Aber die beiden starben. Obwohl er Arzt

67 war, konnte er ihnen nicht helfen. Das hat ihn
68 sehr traurig gemacht. Und eines Tages war er
69 verschwunden. Ich habe nie wieder etwas von ihm
70 gehört."
71 „Das tut uns leid", sagte Martin.
72 „Schon gut, Jungs. Und jetzt raus mit euch!"

73 Auf dem Weg zu ihrem Zimmer blieb Johnny
74 plötzlich stehen: „Wisst ihr, wer dieser Freund
75 von unserem Justus sein könnte?"
76 „Nein, keine Ahnung. Woher sollen wir das denn
77 wissen?", fragte Matz.
78 Auch die anderen schüttelten die Köpfe.
79 „Der Nichtraucher!", rief Johnny. „Ganz bestimmt
80 ist es der Nichtraucher! Er war früher von Beruf
81 Arzt. Und er ist heute heftig zusammengezuckt,
82 als er den Namen ‚Bökh' hörte. Er *muss*
83 der Freund von Justus sein."

Fortsetzung folgt

1. Im Internat haben die älteren Schüler
   bestimmte Aufgaben.
   Welche Aufgabe hat der schöne Theo
   an diesem Abend?
   Beantworte die Frage
   mit einem vollständigen Satz.

   Der schöne Theo

2. Haben Schüler oder Schülerinnen
   deiner Schule auch bestimmte Aufgaben?
   Sprecht in der Klasse darüber.

3. Die Jungen haben gegen die Schulordnung
   des Internats verstoßen.
   Wie verläuft das Gespräch mit Herrn Bökh?

a) Lest das Gespräch von Seite 36, Zeile 17,
   bis Seite 38, Zeile 72, mit verteilten Rollen.
   Tipp: Lest nur die wörtliche Rede.

b) Spielt das Gespräch.

4. Die Schüler im Internat mögen Herrn Bökh gern.
Warum mögen sie ihn wohl so gern?
Kreuze die passenden Sätze an.

❑ Sie mögen ihn, weil er sehr streng ist.
❑ Sie mögen ihn, weil er sie versteht.
❑ Sie mögen ihn, weil er gerecht ist.
❑ Sie mögen ihn, weil sie bei ihm alles dürfen.
❑ Sie mögen ihn, weil er immer für sie da ist.
❑ Sie mögen ihn, weil er wie ein Vater zu ihnen ist.

5. Die Jungen erzählen Herrn Bökh nichts
von dem Zweikampf auf dem Bauplatz.
Er erfährt auch nicht, dass Rudi von den
Realschülern gefesselt und geohrfeigt wurde.
Warum erzählen die Jungen nicht alles?
Ergänze die Sätze.

> Eltern / Strafe / Ärger / enttäuschen

Die Jungen haben Angst vor einer _____.

Sie wollen den Lehrer nicht _____.

Die Jungen befürchten, dass der Lehrer

die _____ benachrichtigt. Sie wollen nicht

noch mehr _____ mit den Realschülern.

6. Auch der Lehrer Herr Bökh hat als Junge
   einmal das Internat ohne Erlaubnis verlassen.
   Was hatte er vor?
   Kreuze an.

❑ Er wollte mit Freunden
   Fußball spielen.

❑ Er wollte ein Mädchen
   im Eiscafé treffen.

❑ Er wollte seine Mutter
   im Krankenhaus
   besuchen.

7. Herr Bökh vermisst seinen Freund.
   Warum sind Freunde wichtig?
   Sprecht in der Klasse darüber.

8. In der Wörterschlange steht eine Frage.
Erkennst du die einzelnen Wörter?

a) Lies die Frage.

b) Trenne die einzelnen Wörter
mit senkrechten Strichen ab.

c) Schreibe nun die Frage auf die Linien.

_____

_____

_____

_____

9. Am Abend gehen die Jungen auf ihr Zimmer.
Was machen die Jungen wohl?
Sprich mit einem Partner darüber.
Ihr könnt auch gemeinsam ein Bild malen.
Tipp: Ihr könnt auch Stichworte auf die Linien
schreiben.

_____

_____

_____

_____

Kapitel 6

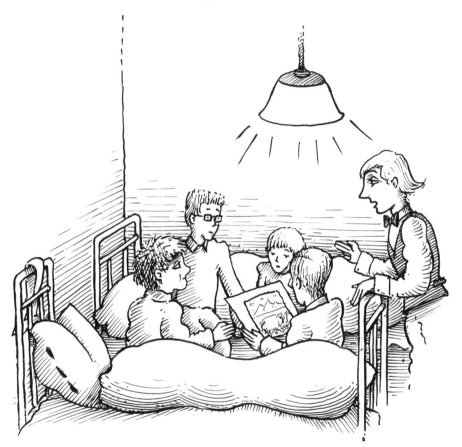

1 **M**artin, Johnny, Matz und Uli waren in Zimmer
2 Nummer 9 untergebracht. Martin holte ein
3 selbst gemaltes Bild aus seiner Schublade.
4 Darauf waren ein grüner See, eine große Sonne,
5 kleine Wolken, schneebedeckte Berge, Palmen
6 und eine Kutsche zu sehen. In der Kutsche saßen
7 Martins Eltern. Vorn lenkte Martin die Pferde.

8 Er und seine Eltern sahen aber älter aus als

9 in Wirklichkeit. Martin hatte dem Bild den Titel

10 „In zehn Jahren" gegeben.

11 Er wollte mit dem Bild ausdrücken, dass er

12 in zehn Jahren so reich sein würde, dass er

13 seinen Eltern weit entfernte Länder zeigen könnte.

14 Matz sah sich das Bild an und rief: „Teufel, Teufel!

15 Du wirst bestimmt mal ein berühmter Maler.

16 Da kann ich dann später sagen: Mit Martin Thaler,

17 dem Maler, bin ich zusammen zur Schule

18 gegangen."

19 In diesem Moment kam der schöne Theo

20 ins Zimmer. Er hatte mal wieder die Aufsicht.

21 „Zeig mal", sagte er und ließ sich Martins Bild

22 reichen. „Wirklich sehr gut gemacht!", sagte er.

23 Die Jungen wunderten sich. So freundlich war

24 der schöne Theo sonst nie.

25 Theo setzte sich zu den Jungen und begann

26 zu erzählen, was vormittags im Unterricht

27 bei Professor Doktor Grünkern passiert war.

28 „Jedes Jahr, wenn der Grünkern im Unterricht

29 auf den Mond zu sprechen kommt, erzählt er

30 den gleichen Witz. Das ist nun schon seit mehr

31 als zwanzig Jahren so. Aber der Witz ist gar nicht

32 lustig. Deshalb hatten wir uns vorbereitet."

33 „Und was habt ihr gemacht?", rief Matz.

34 „Nachdem Grünkern den Witz erzählt hatte, hat

35 erst nur die letzte Reihe laut gelacht. Da hat sich

36 Grünkern gefreut. Als er weiter unterrichten wollte,

37 hat die dritte Reihe gelacht. Dann fiel ihm

38 die zweite Reihe mit ihrem Gelächter ins Wort und

39 schließlich noch die erste. Danach war er völlig

40 fertig. ‚Gefällt Ihnen der Witz nicht?‘, hat er gefragt.

41 Und darauf hat einer gerufen: ‚Der Witz ist

42 in Ordnung. Aber mein Vater meinte, der Witz sei

43 schon alt gewesen, als Sie ihn in seiner Klasse

44 erzählt haben. Können Sie sich denn nicht mal

45 einen neuen einfallen lassen?‘“

46 „Das war aber nicht nett“, sagte Martin.

47 „Also, ich finde, ein Lehrer muss wie die Schüler

48 Neues lernen, damit der Unterricht nicht langweilig

49 ist“, sagte der schöne Theo.

50 „Aber Grünkern ist ja nicht mehr der Jüngste“,

51 nahm Martin ihn in Schutz.

52 „Stimmt. Wisst ihr übrigens, wie der Grünkern

53 mit Vornamen heißt?“, fragte Matz und grinste

54 frech.

55 Die anderen schüttelten die Köpfe.

56 „Balduin! Balduin Grünkern! Er schreibt immer nur

57 ‚B.‘, sicher schämt er sich.“

58 Da meinte der schöne Theo: „Martin hat Recht!

59 Lassen wir den alten Mann lieber zufrieden!“

60 Und dann fuhr er fort: „Es ist gut, dass die Lehrer

61 verschieden sind. Wenn alle Lehrer wie Justus

62 wären, wüssten wir gar nicht, wie gut

63 sein Unterricht ist. Wir hätten ja keinen Vergleich."

64 Die anderen staunten über die klugen Worte.

65 „Jetzt hast du dir aber sicher eine Blase am

66 Gehirn gelaufen!", rief Matz und alle lachten.

67 Dann war Schlafenszeit. Die Jungen liefen

68 in den Waschraum und etwas später herrschte

69 Ruhe im Zimmer Nummer 9. Nur ganz leise war

70 manchmal noch ein Flüstern zu hören.

Fortsetzung folgt

1. Martin hat ein Bild gemalt.

a) Was ist auf dem Bild zu sehen?
   Lies noch einmal Seite 43 bis 44.

b) Was fehlt auf dem Bild unten? Ergänze es.

c) Male nun das Bild in den passenden Farben aus.

2. Welchen Titel gibt Martin seinem Bild?
   Schreibe ihn auf die Linie.

_____

3. Stell dir vor, du wärst zehn Jahre älter.
   Wie möchtest du in zehn Jahren leben?

a) Sprich mit einem Partner darüber.
   Stellt euch gegenseitig Fragen,
   zum Beispiel diese:
   – Wo lebst du in zehn Jahren?
   – Mit wem lebst du zusammen?
   – Welchen Beruf hast du?

b) Male nun ein Bild von dir in zehn Jahren.
   Male es auf ein weißes Blatt.

4. Theo meint, dass Lehrer wie Schüler Neues
   lernen müssen, damit der Unterricht nicht
   langweilig wird.
   Findest du, Theo hat Recht?
   Sprecht in der Klasse darüber.

5. Wie sollte ein Lehrer oder eine Lehrerin
deiner Meinung nach sein?
Wie sollte er oder sie nicht sein?
Trage die Adjektive in die Tabelle ein.

> faul / langweilig / freundlich / lustig /
> verständnisvoll / nett / interessiert / streng /
> klug / laut / hilfsbereit / unpünktlich /
> chaotisch / gerecht / offen / ungerecht /
> unsicher / pünktlich / gemein / sicher

So sollte ein Lehrer / eine Lehrerin sein:	So sollte ein Lehrer / eine Lehrerin **nicht** sein:

6. Theo sagt etwas Kluges.

a) **Was ruft Matz daraufhin?**
Ergänze die Sprechblase.
Tipp: Lies noch einmal Seite 46.

Jetzt hast du dir aber sicher
_____
_____
_____
_____ .

b) **Was will Matz damit wohl sagen?**
Kreuze die passende Erklärung an.

❑ Theo hat eine Krankheit.
❑ Theo hat sich geirrt.
❑ Theo hat sich viele Gedanken gemacht.

7. Wo bekommt man tatsächlich Blasen,
wenn man viel gelaufen ist?
Male das passende Körperteil in den Rahmen.

Kapitel 7

1 **A**m nächsten Morgen wartete Martin vor
2 dem Klassenzimmer auf den Deutschlehrer,
3 Professor Kreuzkamm. Die Schüler hatten immer
4 ein bisschen Angst vor ihm. Er war nämlich sehr
5 streng. Er lachte nie, obwohl er manchmal Dinge

6 sagte, über die man lachen musste. Man konnte

7 nie sehen, was Professor Kreuzkamm gerade

8 dachte. Rudi hatte erzählt, zu Hause sei er auch so.

9 Aber man lernte viel in Professor Kreuzkamms

10 Stunden. Und das war ja schließlich auch etwas

11 wert.

12 „Neuigkeiten?", fragte der Professor, als er

13 auf Martin zukam.

14 „Jawohl, Herr Professor. Die Realschüler haben

15 gestern Nachmittag unsere Diktathefte verbrannt."

16 Martin senkte den Blick.

17 „Habt ihr sie darum gebeten?"

18 Martin wusste wieder einmal nicht, ob er lachen

19 sollte. Doch dann schüttelte er lieber schnell

20 den Kopf.

21 Der Professor öffnete die Tür zum Klassenraum.

22 Martin sah in die Klasse und fiel vor Schreck

23 beinahe um. Einige Schüler hatten Uli

24 in den Papierkorb gesetzt und den Papierkorb

25 an den Kartenständer gehängt. Dort hing Uli nun

26 mit hochrotem Kopf. Vier Jungen hatten Matz

27 festgehalten, sonst hätte er sie verprügelt.

28 Der Professor tat so, als ob er nichts bemerken

29 würde. Er setzte sich vorn ans Pult.

30 Auch Martin ging zu seinem Platz.

31 „Nun, bevor wir weitermachen, möchte ich

32 einige Wörter aus dem verloren gegangenen Diktat

33 von gestern wiederholen. Uli, wie wird

34 Schallplattenspieler geschrieben?"

35 Die ganze Klasse erstarrte. Dann hörte man Ulis

36 zitternde Stimme aus dem Papierkorb.

37 Er buchstabierte: „S-c-h-a-l-l..." Weiter kam er

38 nicht.

39 Der Professor sah Uli an und stand auf.

40 „Was machst du in dieser albernen Luftschaukel,

41 Uli? Komm sofort runter!"

42 „Ich kann nicht", sagte Uli.

43 Matz sprang auf und half seinem Freund.

44 „Wer hat dich da reingesetzt?", fragte

45 der Professor, sprach aber sofort weiter. „Schon

46 gut. Ihr verratet es ja doch nicht. Aber warum hast

47 du es nicht verhindert, Matz? Ihr seid doch

48 befreundet", sagte der Lehrer.

49 „Es waren zu viele", erklärte Uli, dem Matz gerade

50 nach unten half.

51 „An allem Unfug, der passiert, sind nicht nur

52 die schuld, die ihn machen, sondern auch die,

53 die ihn nicht verhindern. Diesen Satz schreibt

54 jeder von euch zur nächsten Stunde fünfzigmal

55 auf", sagte der Professor.

56 Am Ende der Stunde, als der Professor weg war,

57 kletterte Uli auf den Lehrertisch. „Hört mir zu!", rief

58 er. „Ich halte eure Gemeinheiten nicht mehr aus.

59 Ich werde noch krank davon. Ihr denkt, ich bin

60 ein Feigling. Aber das bin ich nicht! Das werdet ihr
61 sehen. Kommt heute Nachmittag um drei Uhr
62 zum Sportplatz!"
63 Als seine Freunde ihn fragten, was er vorhabe,
64 schwieg Uli.

Fortsetzung folgt

**1. Mehrere Mitschüler haben Uli im Papierkorb
am Kartenständer aufgehängt.
Wie fühlt sich Uli wohl?
Schreibe sechs passende Sätze auf die Linien.
Tipp: Die Wortgruppen im Kasten helfen dir.**

> ist hilflos / schämt sich / ist traurig /
> fühlt sich schlecht / ist wütend / hat Angst

**2. Die Mitschüler ärgern Uli oft.
Heute nennt man das auch „Mobbing".
Was bedeutet „Mobbing"?
Sprecht in der Klasse darüber.**

3. Warum passiert das Mobbing wohl
   ausgerechnet Uli?
   Wie sehen die Mitschüler Uli?
   Sprecht in der Klasse darüber.

4. Was sagt Uli nach dem Unterricht
   zu seinen Mitschülern?
   Vervollständige die Sprechblase.
   Tipp: Lies noch einmal ab Seite 53, Zeile 58.

Ich halte eure _____

nicht mehr aus. Ich werde noch

_____ davon. Ihr denkt, ich bin

ein _____ . Aber das bin ich

_____ ! Das werdet ihr _____ .

Kommt heute Nachmittag um _____ Uhr

zum _____ !

5. Professor Kreuzkamm sagt einen Satz,
den die Schüler fünfzigmal aufschreiben
müssen.

a) Von den Buchstaben ist nur die Hälfte zu sehen.
Erkennst du die Wörter trotzdem?
Lies den Satz.

An allem Unfug, der passiert, sind nicht nur

die schuld, die ihn machen, sondern auch die

die ihn nicht verhindern. "

b) Schreibe den Satz vollständig auf die Linien.
Denke auch an die Satzzeichen.
Tipp: Wenn du nicht weiterweißt,
lies noch einmal Seite 53.

_____

_____

_____

_____

_____

_____

_____

c) Was bedeutet der Satz?
Sprecht in der Klasse darüber.

6. Wer tut was?
Verbinde die Sätze so, dass die Aussagen
stimmen.

| Uli | tut zuerst so, als ob er Uli nicht bemerkt. |

| Professor Kreuzkamm | hilft Uli aus dem Papierkorb. |

| Matz | hängt am Kartenständer. |

7. Diese vier Jungen sind befreundet.
Aber welche beiden Jungen sind
jeweils besonders gut befreundet?
Kreise ihre Namen farbig ein.

Martin   Matz

          Johnny   Uli

Kapitel 8

1 **N**ach dem Mittagessen fand die vorletzte Probe

2 zum Stück „Das fliegende Klassenzimmer",

3 dem Theaterstück für die Weihnachtsfeier, statt.

4 Uli war als Letzter erschienen. Er trug

5 einen Regenschirm unter dem Arm.

6 „Was willst du denn mit dem Schirm?", fragte Matz.

7 „Es sieht doch gar nicht nach Regen aus."

8 Uli sagte darauf nichts und Matz fragte nicht weiter.

9 Die Jungen übten das Stück an diesem Tag

10 vom Anfang bis zum Ende. Und sie schafften es,

11 ihre Texte aufzusagen, ohne stecken zu bleiben.

12 „Hoffentlich klappt es übermorgen Abend

13 bei der Aufführung auch so gut!", rief Johnny.

14 Während des Aufräumens schlich Uli heimlich

15 aus der Turnhalle.

16 Es war fünf Minuten vor drei.

17 Auf dem verschneiten Sportplatz standen bereits

18 fünfzig neugierige Jungen und warteten auf Uli.

19 Uli ging wortlos an ihnen vorbei zu einem Kletter-

20 gerüst. Er kletterte daran hinauf.

21 Als er oben war, sagte er laut: „Ich werde jetzt

22 den Schirm aufspannen und abspringen. Tretet weit

23 zurück, damit ich niemandem auf den Kopf fliege!"

24 Die Jungen riefen durcheinander. Viele schüttelten

25 den Kopf. Einige meinten, Uli wäre verrückt

26 geworden. Doch alle traten zurück und warteten.

27 In der Turnhalle fragte Matz

28 im gleichen Augenblick: „Wo ist Uli?"

29 „Er wird schon zum Sportplatz gegangen sein.

30 Er hatte doch irgendetwas vor", antwortete Martin.

31 „Mensch, es ist ja auch schon drei Uhr!", rief Matz.

32 Die Jungen liefen zum Sportplatz hinüber.

33 Schon von weitem sahen sie Uli mit

34 dem aufgespannten Schirm.

35 „Oh, nein! Er will springen!", flüsterte Martin

36 entsetzt.

37 „Uli, tu's nicht!", schrie Matz.

38 Doch in diesem Moment sprang Uli.

39 Er fiel wie ein Stein auf den schneebedeckten

40 Boden des Platzes. Bewegungslos blieb er liegen.

41 Die Jungen rannten vor Schreck schreiend

42 auseinander. Nur die drei Freunde liefen

43 zu dem Verunglückten. Uli lag leichenblass und

44 ohnmächtig im Schnee. Sofort flitzte Johnny

45 zum Haus, um Hilfe zu rufen. Martin rannte los,

46 um den Nichtraucher zu holen. Uli brauchte sofort

47 einen Arzt.

48 Matz blieb bei Uli und strich ihm beruhigend

49 über den Kopf. „Mein Kleiner", sagte er zu Uli.

50 „Und da behaupten die anderen, dass du

51 keinen Mut hast." Dem starken Matz liefen

52 plötzlich Tränen über das Gesicht.

53 Später standen die Freunde besorgt

54 vor dem Krankenzimmer. Endlich öffnete sich

55 die Tür und Herr Bökh kam heraus. „Es ist nicht

56 so schlimm, wie wir zuerst gedacht haben. Uli hat

57 ein Bein gebrochen und einige Prellungen.

58 Also Kopf hoch, Jungs!" Und dann fragte er:

59 „Wer ist denn überhaupt auf diese dumme Idee

60 gekommen, mit einem Regenschirm

61 aus so großer Höhe abzuspringen?"

62 „Uli selbst. Er wollte zeigen, dass er kein Feigling

63 ist", sagte Matz unter Tränen. „Und ich Rindvieh

64 habe ihm auch noch geraten, etwas Mutiges

65 zu tun."

66 „Na, für feige hält ihn jetzt sicher niemand mehr.

67 Der Sprung war mutig, aber er war auch

68 lebensgefährlich!", sagte Herr Bökh.

Fortsetzung folgt

1. Wie heißt das Theaterstück, das die Jungen für die Weihnachtsfeier proben? Streiche die falschen Titel durch.

Das fliegende Internat
Das geputzte Klassenzimmer
Das fliegende Klassenzimmer
Die tanzende Schule

2. Was bringt Uli mit zur Probe?

a) Verbinde die Buchstaben in der Reihenfolge des Alphabets. Beginne bei „A".

b) Vervollständige das Nomen.

Uli bringt einen _Regen_ mit.

3. Uli will den anderen zeigen,
dass er kein Feigling ist.
Was tut er?
Ergänze die fehlenden Verbformen.

> springt / öffnet / klettert

Uli _____ ein hohes Klettergerüst hinauf.

Er _____ seinen Regenschirm und

_____ von dem Gerüst hinunter.

4. Nach Ulis Sprung rennen die meisten Jungen
schreiend fort.
Warum reagieren sie wohl so?
Unterstreiche die passenden Sätze farbig.

Die Schüler haben Angst.

Die Schüler wollen Uli helfen.

Die Schüler sind hilflos.

Die Schüler haben Panik.

Die Schüler wollen zum Unterricht.

Die Schüler sind erschrocken.

5. Uli liegt verletzt am Boden.
   Was tun Martin, Johnny und Matz?
   Schreibe mindestens drei vollständige Sätze
   in dein Heft.
   Tipp: Lies noch einmal Seite 61.

6. Was sagt Herr Bökh über Ulis Sprung?
   Vervollständige die Sprechblase.

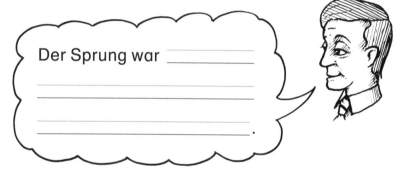

Der Sprung war _____
_____
_____
_____.

7. Warum weint Matz wohl?

a) Lies die Gründe
   in der Träne.

Matz hat
Angst um Uli.

Matz fühlt
sich schuldig.

b) Sprecht in der Klasse
   über die Gründe.

Kapitel 9

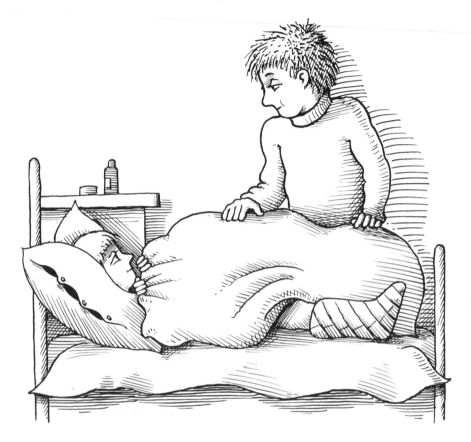

1 Die Freunde durften Uli an diesem Abend
2 noch nicht im Krankenzimmer des Internats
3 besuchen. Er brauchte erst einmal Ruhe. Deshalb
4 gingen die Jungen in ihr Zimmer. Jeder von ihnen
5 war in Gedanken versunken.
6 Als Martin sich auf sein Bett legte, fiel ihm der Brief
7 in seiner Hosentasche ein. Er hatte heute Post

8 von seinen Eltern bekommen. Freudig zog er
9 den Brief aus der Hosentasche und ging
10 ins Lesezimmer des Internats. Dort störte ihn
11 niemand. Sicher schickten die Eltern ihm
12 das Reisegeld für Weihnachten! Martin öffnete
13 gespannt den Umschlag. Da fiel ihm auch gleich
14 ein Fünfmarkschein entgegen. Martin sah
15 noch einmal in dem Umschlag nach. Doch mehr
16 Geld war nicht darin.
17 Ihm blieb beinahe das Herz stehen.
18 Um Weihnachten mit dem Zug nach Hause fahren
19 zu können, benötigte er acht Mark! Martin faltete
20 den Brief mit zittrigen Händen auseinander und las.
21 Seine Mutter schrieb, dass sie nicht genug Geld
22 für Martins Heimfahrt hätte. Der Vater hätte
23 seine Arbeit verloren. Und es hätte ihnen auch
24 niemand etwas leihen können. Martin entdeckte
25 Flecken auf dem Papier. Sicher hatte die Mutter
26 geweint. Da begann auch Martin zu weinen.
27 Er beschloss, seinen Eltern das Bild
28 „In zehn Jahren" zu Weihnachten zu schicken.

29 Am nächsten Morgen konnte es Matz kaum
30 abwarten, den verletzten Uli zu besuchen.
31 Er eilte als Erstes zu ihm.
32 Als er um die Ecke bog, verließ gerade
33 die Krankenschwester das Krankenzimmer.

34 Matz schlich hinter ihrem Rücken hinein.

35 Traurig sah er auf Ulis blasses Gesicht.

36 Da schlug Uli die Augen auf. Ein müdes, winziges

37 Lächeln erschien auf seinem Gesicht.

38 Matz schluckte. Er brachte kein Wort heraus.

39 „Es hat nicht besonders wehgetan", sagte Uli

40 leise. „Wirklich nicht."

41 „Ein Glück, dass dir nichts Schlimmeres passiert

42 ist." Matz' Stimme zitterte ein bisschen.

43 „Was sagen denn die anderen?"

44 „Die fanden dich alle sehr mutig. Es gibt wohl

45 keinen, der solch einen Sprung wagen würde.

46 Ich jedenfalls nicht!"

47 „Dann hat es ja geholfen!", meinte Uli zufrieden.

48 „Ich bin kein Feigling mehr", fügte er stolz hinzu.

49 „Aber das war sehr gefährlich. Mach das

50 nie wieder! Versprochen?"

51 „Versprochen!"

52 Da öffnete sich die Tür und die Krankenschwester

53 kam herein.

54 „Der Junge braucht Ruhe!", sagte sie ärgerlich

55 und warf Matz hinaus.

56 Am Nachmittag bei den Theaterproben vermissten

57 die Freunde Uli. Ein Junge aus der fünften Klasse,

58 der klein und zart genug war, übernahm

59 schließlich Ulis Rolle. Mehrere Stunden übten

60 die Jungen das Stück. Dann war Zeit
61 für das Abendbrot.
62 Im Speisesaal wartete bereits Herr Bökh.
63 Er hielt vor dem Essen eine kleine Rede.
64 Er sagte: „Wir wollen von Herzen dankbar sein,
65 dass die Mutprobe von Uli gut ausgegangen ist.
66 Ich bitte euch alle, niemals solch eine
67 gefährliche Mutprobe zu machen. Man darf Mut
68 nämlich nicht mit Leichtsinn verwechseln!“

Fortsetzung folgt

1. Martins Mutter hat ihrem Sohn einen Brief geschrieben.
Was könnte sie geschrieben haben?
Vervollständige den Brief.

Papa / leihen / Nachricht / Geld /
Internat / Geschenke / weine

Lieber Martin,

Papa und ich haben eine traurige

_____ für dich. Wir können dir

diesmal nicht genug _____ für

die Fahrkarte nach Hause schicken. _____

hat seine Arbeit verloren. Es konnte uns auch

niemand Geld _____ . Deshalb musst

du in den Weihnachtsferien im _____

bleiben. Morgen bekommst du ein Paket, darin

sind ein paar kleine _____ .

Mein lieber Junge, bitte _____ nicht.

Liebe Grüße und Küsse von deiner Mama

2. Warum ist Martin traurig?
Vervollständige die Sätze.

Der Vater von Martin, Herr Thaler, hat

seine _____ verloren. Deshalb haben
    <u>Brieftasche / Arbeit</u>

er und seine Frau nicht genug _____
                                   <u>Geld / Koffer</u>

für Martins Heimreise. Nun muss Martin in

den _____ im Internat
        <u>Sommerferien / Weihnachtsferien</u>

bleiben. Das macht ihn sehr traurig.

3. Kannst du Martins Gefühle verstehen?
Sprecht in der Klasse darüber.

4. Womit wäre Martin nach Hause gefahren?
Kreuze das richtige Fahrzeug an.

❑    ❑

❑    ❑

71

5. Martin liest den Brief im Lesezimmer.
   In einem Lesezimmer sollte es ruhig sein.
   Was gehört wohl in ein Lesezimmer?
   Male nur diese Gegenstände in den Rahmen.
   Tipp: Gegenstände, die laute Geräusche
   machen, gehören nicht dazu.

> der Sessel / der Tisch / das Waschbecken /
> die Lampe / das Bücherregal / das Buch /
> das Telefon / das Schlagzeug / die Zeitung

6. Matz und Uli sprechen noch einmal über
Ulis Sprung mit dem Regenschirm.
Was ist Uli wichtig? Was ist Matz wichtig?

a) Verfolge die beiden Fäden von oben nach unten.
Lies dabei die einzelnen Satzteile.
Sie ergeben zwei vollständige Sätze.

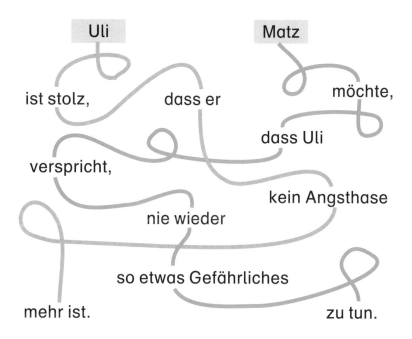

b) Schreibe die beiden Sätze in dein Heft.

7. Findest du Ulis Sprung eher mutig oder
eher leichtsinnig?
Sprecht in der Klasse darüber.

Kapitel 10

1 An diesem Morgen war der letzte Schultag.
2 Die meisten Schüler hatten schon
3 vor dem Unterricht begonnen, ihre Koffer für
4 die Ferien zu packen. Sie freuten sich auf
5 zu Hause. Nur Martin war sehr traurig. Er musste
6 immer wieder an den Brief seiner Mutter denken.

7   Im Deutschunterricht bei Professor Kreuzkamm
8   lasen die Schüler in der Klasse laut Märchen vor.
9   Als Martin an die Reihe kam, kämpfte er
10 mit den Tränen. Er konnte keinen Satz flüssig
11 lesen. „Bloß nicht weinen!", hämmerte es
12 in seinem Kopf. Er wollte nicht, dass jemand

13 bemerkte, wie traurig er in Wirklichkeit war.

14 Am Nachmittag fand die letzte Probe

15 des Theaterstückes statt. Doch Martin konnte sich

16 einfach nicht konzentrieren. Er stotterte und

17 vergaß auch manchmal ein Wort.

18 „Was ist denn mit dir los?", fragte Johnny.

19 „Ach, nichts", sagte Martin schnell, „ich habe

20 letzte Nacht bloß schlecht geschlafen."

21 Die Weihnachtsfeier am Abend war wunderschön.

22 Zu Beginn spielten zwei Schüler Klavier. Danach

23 hielt der Direktor, Professor Grünkern, eine Rede.

24 Dann kam endlich die Aufführung von

25 „Das fliegende Klassenzimmer". Die Jungen

26 konnten ihren Auftritt kaum erwarten.

27 Selbst Martin vergaß seinen Kummer.

28 Die Aufführung klappte großartig. Die Zuschauer

29 klatschten begeistert und die Theatergruppe

30 wurde hoch gelobt. „Das habt ihr wirklich sehr gut

31 gemacht!", sagte der Direktor.

32 Die Zuschauer jubelten.

33 Nachdem wieder etwas Ruhe in den Saal

34 eingekehrt war, stand Herr Bökh auf.

35 Es wurde still im Saal.

36 „Liebe Kollegen, liebe Schüler", sagte er,

37 „ich möchte an diesem Abend jemanden

38 ganz Besonderen begrüßen. Auf dem Stuhl neben

39 mir sitzt ein Mann, den die meisten von euch nicht

40 kennen. Dieser Mann ist mein bester Schulfreund.

41 Vor zwanzig Jahren haben wir uns leider aus

42 den Augen verloren. Doch nun habe ich ihn endlich

43 wiedergefunden. Und diese Geschichte möchte ich

44 euch nun erzählen: Gestern Abend luden mich

45 Johnny und Martin zu einem Spaziergang ein.

46 Sie führten mich in einen Schrebergarten.

47 Nach einer Weile blieben sie vor einem Eisenbahn-

48 waggon stehen und Martin klopfte an der Tür.

49 Und plötzlich stand Robert vor mir. So habe ich

50 meinen Schulfreund wiedergefunden."

51 Herr Bökh lächelte glücklich.

52 „Das war das schönste Weihnachtsgeschenk

53 in meinem Leben. Mein Freund heißt Robert Uthofft

54 und ist Arzt. Und wenn er möchte, können wir nun

55 immer zusammenbleiben. Denn im Internat

56 brauchen wir bald einen Nachfolger für

57 den Schularzt. Hast du Lust, an unserer Schule

58 zu arbeiten, Robert?"

59 Der Nichtraucher strahlte vor Freude und nickte.

60 Da kam Johnny mit einem Päckchen unter

61 dem Arm angelaufen. Er gab es dem Nichtraucher.

62 „Das ist für Sie zu Weihnachten", sagte er.

63 „Vielen Dank, Johnny", sagte der Nichtraucher.

64 „Danke auch deinen Freunden. Ich bin ebenfalls

65 froh, dass ich meinen Schulfreund

77

66 wiedergefunden habe. Ich erinnere mich gerne
67 an früher."
68 „Ja", sagte Doktor Bökh. „Vergesst nie
69 eure Schulfreunde! Vergesst nicht, wie schön
70 es ist, Freunde zu haben!"

71 Spät am Abend machte Herr Bökh noch
72 seine Runde durch die Schlafräume.
73 An Martins Bett blieb er stehen.
74 Martin warf sich im Schlaf hin und her und flüsterte
75 mehrere Male: „Weinen ist streng verboten!
76 Weinen ist streng verboten!"
77 Erst als Martin wieder ruhig schlief, ging Herr Bökh
78 leise weiter.

Fortsetzung folgt

1. Martin ist sehr traurig. Doch er will nicht,
   dass das jemand bemerkt.
   Kann er seine Traurigkeit verbergen?
   Sprecht in der Klasse darüber.

2. Um flüssig zu lesen oder einen Text frei
   zu sprechen, muss man sich konzentrieren,
   also sehr aufmerksam sein.
   Aus welchen Gründen gelingt das Lesen und
   das freie Sprechen Martin nicht gut?
   Unterstreiche die passenden Sätze farbig.

   Martin ist sehr traurig und kämpft mit den Tränen.

   Martin hat keine Lust zu lesen.

   Martin muss immer wieder an den Brief
   seiner Mutter denken.

   Martin denkt die ganze Zeit: „Bloß nicht weinen!"

   Martin wird von seinen Freunden abgelenkt.

   Martin ist nicht ausgeruht, weil er in der Nacht
   schlecht geschlafen hat.

3. Martin spricht leise im Schlaf.
   Was sagt er?
   Schreibe den Satz auf die Linie.
   Tipp: Lies noch einmal Seite 78.

„——————————————————————!"

4. Warum meint Martin wohl,
   dass Weinen streng verboten ist?
   Kreuze die passenden Antworten an.

   Martin meint, ...
   ❏ Jungen dürfen nicht weinen.
   ❏ Weinen verursacht Kopfschmerzen.
   ❏ Weinen bedeutet Schwäche.

5. Was denkt ihr, wenn ihr jemanden weinen seht?
   Sprecht in der Klasse darüber.

6. Wie fühlst du dich, wenn du weinst?
   Beantworte die Frage mit vollständigen Sätzen.
   Schreibe in dein Heft.
   Beginne so: Wenn ich weine, ...

7. **Was ist das schönste Weihnachtsgeschenk**
   für Herrn Bökh?
   Ergänze den Satz mit eigenen Worten.
   Tipp: Lies noch einmal Seite 77.

   Das schönste Weihnachtsgeschenk
   in seinem Leben ist für Herrn Bökh, dass

   _____

   _____

   _____

   _____ .

8. **Wie heißt der Nichtraucher tatsächlich?**
   Ergänze die fehlenden Vokale (Selbstlaute).
   Tipp: Lies noch einmal Seite 77.

   Doktor | R | b | r t | | t h | f f t |

9. **Herr Bökh und der Nichtraucher**
   waren schon als Schüler befreundet.
   Sie erinnern sich gern an diese Zeit.
   Gibt es ein Erlebnis, das du nicht vergessen
   möchtest?
   Erzähle in der Klasse davon.

Kapitel 11

Der 24. Dezember, Heiligabend, begann
im Internat mit einem Riesenlärm. Die Jungen
rasten die Treppen rauf und runter. Einer hatte
seine Zahnbürste vergessen, ein anderer suchte
seinen Koffer. Ein Dritter hatte vergessen,
die Schlittschuhe einzupacken. Ein Vierter holte
Verstärkung, weil der Koffer zu voll war.

8 Drei Jungen mussten sich draufsetzen, um
9 den Koffer schließen zu können.
10 Gegen zehn Uhr früh war die Schule schon halb
11 leer. Die meisten waren abgereist. Und gegen
12 Mittag brach die nächste Gruppe Jungen
13 zum Bahnhof auf. Matz kam hinterhergelaufen.
14 Er hatte Uli zum Abschied noch einmal
15 im Krankenzimmer besucht und sich beinahe
16 verspätet. Als er am Bahnhof ankam, wimmelte es
17 dort bereits von Gymnasiasten. Wenig später
18 fuhren die Züge ein.
19 „Fröhliche Weihnachten!", wünschte jemand.
20 „Prosit Neujahr!", rief Matz daraufhin.
21 Und Fridolin schrie: „Frohe Ostern!"
22 Lautes Lachen begleitete die Rufe.

23 Am Nachmittag war das Schulhaus
24 wie ausgestorben. Herr Bökh zog seinen Mantel
25 an und ging hinaus in den Park. Niemand war
26 zu sehen. Die Wege waren zugeschneit. Plötzlich
27 entdeckte Herr Bökh Abdrücke von Schuhen
28 im Schnee. Er folgte ihnen. Kurz darauf sah er
29 Martin auf einer Mauer sitzen.
30 „Hallo!", rief der Lehrer. „Was machst du denn
31 hier?"
32 „Ich wollte allein sein", antwortete Martin.
33 „Oh, dann entschuldige. Aber was hast du denn?"

34 „Ich muss an Weihnachten denken."

35 „Na, besonders scheinst du dich ja nicht

36 zu freuen. Wann fährst du denn nach Hause?"

37 Da traten Martin Tränen in die Augen.

38 Aber er weinte nicht. „Ich fahre gar nicht."

39 „Wollen deine Eltern nicht, dass du kommst?"

40 „Doch, meine Eltern wollen mich schon zu Hause

41 haben."

42 „Und du?"

43 „Ich will auch zu ihnen."

44 „Na, zum Donnerwetter, warum bleibst du denn

45 dann hier?"

46 „Das möchte ich lieber nicht sagen. Darf ich jetzt

47 gehen?", fragte Martin.

48 Aber der Lehrer hielt ihn fest. „Moment, mein Junge!

49 Hast du etwa kein Fahrgeld?"

50 Da war es mit Martins tapferer Haltung vorbei.

51 Er schlug die Hände vors Gesicht und weinte.

52 Herr Bökh überlegte nur kurz. Dann schenkte er

53 Martin zwanzig Mark zu Weihnachten. Das war

54 mehr, als die Hin- und Rückfahrt nach Hause

55 kostete. Martin wusste nicht, was er sagen sollte.

56 Er nahm die Hand des Lehrers und sah ihn lange an.

57 Dann rannte er los. Er hatte noch einiges zu tun!

58 Nachdem Martin gepackt hatte, sah er noch bei Uli

59 vorbei. Seine Eltern saßen am Krankenbett.

60 „Ich kann dir sagen, der Justus ist ein Mensch, wie

61 es keinen Zweiten gibt", sagte Martin leise zu Uli.

62 Uli nickte. Auch für ihn war dieser Lehrer etwas

63 Besonderes.

64 Später am Bahnhof kaufte Martin noch Zigarren

65 für seinen Vater und eine große Tafel Schokolade

66 für seine Mutter. Das Paket, das ihm seine Eltern

67 zu Weihnachten geschickt hatten, nahm er

68 natürlich auch mit. Schließlich waren darin

69 seine Geschenke.

70 Glücklich wartete Martin am Bahnhof

71 auf die Abfahrt. Die Fahrkarte kaufte er

72 beim Schaffner im Zug.

73 „Besten Dank, Herr Schaffner", sagte er und

74 blickte den Mann strahlend an.

75 „Warum freust du dich denn so?"

76 „Weil Weihnachten ist", sagte Martin.

Fortsetzung folgt

1. Die meisten Schüler des Internats fahren
   an Heiligabend nach Hause.
   An welchem Tag ist Heiligabend?
   Tipp: Lies noch einmal Seite 82.

   Heiligabend ist am _____ .

2. Feiert deine Familie Weihnachten oder
   ein ähnliches Fest, zum Beispiel das Zuckerfest?
   Wie feiert ihr das Fest?
   Erzähle in der Klasse davon.

3. Was wird Weihnachten gefeiert?
   Lies den folgenden Sachtext.

   > Weihnachten
   >
   > 1 Die **Christen** feiern Weihnachten
   > 2 **Jesu Geburt.** Jesus gilt im christlichen
   > 3 Glauben als Gottes Sohn. Er wurde ungefähr
   > 4 **vor 2000 Jahren in Bethlehem** in einem Stall
   > 5 geboren. Über dem Stall in Bethlehem
   > 6 leuchtete ein Stern. Der Stern zeigte
   > 7 den Heiligen Drei Königen den Weg
   > 8 zu dem Stall. Sie brachten dem heiligen Kind
   > 9 Geschenke.

4. Beantworte folgende Fragen.
Schreibe vollständige Sätze in dein Heft.

– Was feiern die Christen zu Weihnachten?

– Vor wie vielen Jahren ungefähr wurde Jesus geboren?

– Wie fanden die Heiligen Drei Könige den Weg zu dem Stall, in dem Jesus geboren wurde?

5. Zu welchem Land gehört Bethlehem?

a) Schlage in einem Lexikon oder einem Atlas nach.

b) Kreuze an.

❑ Italien ❑ Deutschland ❑ Israel

6. Die anderen fahren alle nach Hause.
Aber Martin sitzt auf einer Mauer im Park.
Wie fühlt sich Martin wohl?
Ergänze ein passendes Adjektiv.

Martin ist _____ .

7. Weihnachten wird auch das „Fest der Liebe"
   genannt. Denn dann helfen viele Menschen
   anderen Menschen.
   Wer hilft Martin?
   Ergänze den Namen.

   Herr ⬜⬜⬜ hilft Martin.

8. Wie hilft der Lehrer Martin?
   Die Satzteile der Antwort sind
   durcheinandergeraten.
   Schreibe die Antwort richtig auf die Linien.
   Tipp 1: Der Satzanfang wird großgeschrieben.
   Tipp 2: Am Ende des Satzes steht ein Punkt.

   | Martin | schenkt | Der | Lehrer | das Fahrgeld. |

   _____

   _____

   _____

9. Martin kauft seine Fahrkarte beim Schaffner,
   dem Zugbegleiter.
   Wo kauft man heute seine Fahrkarte?
   Sprecht in der Klasse darüber.

10. Im Kapitel kommen drei Glückwünsche vor:
„Fröhliche Weihnachten", „Prosit Neujahr",
„Frohe Ostern".

a) Zu welchen Festtagen sagt man
die Glückwünsche jeweils?
Sprecht in der Klasse darüber.

b) Wie heißen die Glückwünsche
in anderen Sprachen?

11. Diese Abdrücke sind an einem anderen Tag
im Schnee zu sehen.
Wer hat wohl welchen Abdruck hinterlassen?
Verbinde.

der Vogel

das Reh

der Junge

das Pferd

89

Kapitel 12

1 Es war am Heiligabend gegen zwanzig Uhr.

2 Es schneite.

3 Martins Vater, Herr Thaler, stand in

4 der guten Stube am Fenster. Das Zimmer war

5 dunkel, denn Licht kostete Geld und Thalers

6 mussten sparen.

7 „Bei Neumanns bescheren sie schon", sagte er.

8 „Ach, und bei Mildes zünden sie gerade

9 die Kerzen an. Einen schönen Baum haben sie.

10 Na ja, Herr Milde verdient jetzt auch wieder besser",

11 sagte Frau Thaler. Plötzlich fragte sie: „Was mag

12 unser Junge in der großen leeren Schule jetzt bloß

13 machen?"

14 Herr Thaler seufzte. „Du machst es dir zu schwer.

15 Sicher sind noch andere Jungen in der Schule

16 geblieben. Vielleicht sitzt Martin gerade mit einem

17 anderen Jungen zusammen und ist fröhlich."

18 „Das glaubst du doch selbst nicht", sagte

19 Frau Thaler. „Du weißt so gut wie ich, dass

20 unser Junge nicht fröhlich ist. Wahrscheinlich hat er

21 sich in irgendeine Ecke verkrochen und weint sich

22 die Augen aus dem Kopf!"

23 Sie zündeten die Kerzen des kleinen Tannenbaums

24 an, den sie geschenkt bekommen hatten.

25 Auf dem Tisch lag Martins selbst gemaltes Bild.

26 Es war am Morgen mit der Post gekommen.

27 „Frohe Weihnachten", wünschten sich die Thalers

28 gegenseitig. Martins Mutter begann dabei

29 zu weinen.

30 Plötzlich klingelte es. Frau Thaler öffnete die Tür.

31 Sie konnte es nicht fassen, wer da stand. „Martin!",

32 rief sie voll Freude.

33 Da stürzte auch Herr Thaler zur Tür.

34 Die drei umarmten sich und weinten und lachten

35 durcheinander.

36 Erst später erklärte Martin, woher er das Geld

37 für die Fahrt nach Hause hatte. Er erzählte, dass

38 Herr Bökh ihm das Geld geschenkt hatte.

39 Dann gab er seinen Eltern die Weihnachts-

40 geschenke und packte seine eigenen aus.

41 In dem Paket von seinen Eltern war ein Karton

42 mit Buntstiften.

43 Nach dem Essen setzte sich Martin hin und malte

44 einen Herrn mit Flügeln und dickem Portmonee

45 und davor einen weinenden Jungen. Unter

46 das Bild schrieb er: „Ein Weihnachtsengel

47 namens Bökh".

48 Das Bild war für seinen Lehrer.

49 Martins Eltern schrieben darunter: „Wir danken

50 Ihnen, Herr Bökh", und steckten das Bild

51 in einen Briefumschlag.

52 Dann zogen die drei ihre Mäntel an und gingen

53 zum Bahnhof. Dort steckten sie den Brief

54 in den Briefkasten. Herr Bökh sollte die Post bald

55 bekommen. Glücklich spazierten

56 die Thalers wieder nach Hause. Am Himmel

57 strahlten Sterne und überall glitzerten

58 die geschmückten Weihnachtsbäume.

59 Martin sah eine Sternschnuppe und wünschte

60 allen seinen Freunden viel Glück im Leben.

Ende

1. Martins Eltern sitzen zu Hause
in der „guten Stube".

a) Stube ist ein anderes Wort für Zimmer.
Welche Zimmer gibt es in Wohnungen?
Vervollständige die Nomen.

die K ü ⬜ ⬜ , das W ⬜ ⬜ z mm ⬜ ,

das B ⬜ d , das S c h l ⬜ z mm ⬜ ,

das K ⬜ n d ⬜ z ⬜ ⬜ e r

b) Welches Zimmer wird wohl die „gute Stube"
genannt?

Das ⬜⬜⬜⬜⬜⬜⬜⬜ ist die „gute Stube".

2. Was malt Martin für seinen Lehrer?
Und was schreiben er und seine Eltern
unter das Bild?
Male und schreibe auf ein weißes Blatt.
Tipp: Lies noch einmal Seite 92.

3. Diese Nomen passen alle zu der Geschichte über die Jungen im Internat.

a) Lies die Nomen.

_____ Einsamkeit   _____ Klassenzimmer

_____ Ferien   _____ Lärm

_____ Mitleid   _____ Freundschaft

_____ Theaterstück   _____ Mut

_____ Heimweh   _____ Heiligabend

                               _____ Streit

                               _____ Eltern

b) Ergänze die Artikel (Begleiter) der Nomen.
   Tipp: Wenn du nicht weiterweißt, schlage
           in einem Wörterbuch nach.

4. Wer hat den Roman für Kinder
   „Das fliegende Klassenzimmer" geschrieben?

a) In den Nomen von Aufgabe 3 sind Buchstaben
   farbig hervorgehoben.
   Sie ergeben, von oben nach unten gelesen,
   einen Namen.
   Lies den Namen.

b) Vervollständige nun den Satz.

Den Roman für Kinder „Das fliegende Klassenzimmer"

hat [□□□□□] [□□□□□□□] geschrieben.

5. Lies den Sachtext.

Über den Autor

1 **Erich Kästner** wurde
2 am 23. Februar 1899 in Dresden
3 geboren und starb
4 am 29. Juli 1974 in München.

6. Martin sieht eine Sternschnuppe.
   Wer eine Sternschnuppe sieht,
   darf sich etwas wünschen.
   Was würdest du dir wünschen?
   Male in den Rahmen.

Originalausgabe:
Erich Kästner, Das fliegende Klassenzimmer
© Artium Verlag AG, Zürich 1935

Foto S. 95: pa/akg-images

Redaktion: lüra – Klemt & Mues GbR
Technische Umsetzung: Manuela Mantey-Frempong

www.cornelsen.de

2. Auflage, 7. Druck 2020

Alle Drucke dieser Auflage sind inhaltlich unverändert
und können im Unterricht nebeneinander verwendet werden.

Druck: mediaprint solutions GmbH, Paderborn

ISBN 978-3-464-60202-7

PEFC zertifiziert
Dieses Produkt stammt aus nachhaltig
bewirtschafteten Wäldern und kontrollierten
Quellen.

www.pefc.de

PEFC/04-31-0810